*Pour Anissa, Mirna, Nazir, Daniela, Jean-Michel, Léane, Kyllian, Redouane, Phania, Soraya, Ismaïl, Cédric, Vincent, Amadou, Kutluhan, Rafaël, Evans, Lonie, Rayanna, Esra, Soulaymane, Salla, Félicité, Sadio, Draven, Armen, Mylène, Dione, Nalonkacy, Fatimata, Soifniya, Esteban, Diabou, Suveybe, Ambroise, Amy, Diana, Kalvyn, Jordan, Eddy, Andrew, Hassan, pour leur maître et leur maîtresse, pour leur directeur... en attendant la rénovation de leur école, l'école publique Joliot Curie...*

B. Fontanel

*À mes amis et professeurs, qui m'ont beaucoup aidée, car je ne sais décidément pas travailler seule.*

A. Huard

Béatrice
Fontanel
Alexandra
Huard

# LA CHOSE

Sarbacane
depuis 2003

Mon cher Scipion, pourquoi n'avons-nous pas vu venir la catastrophe ?
— Mais mon cher Hannibal, comment imaginer ce qui allait nous arriver ? Impossible !

— Nous aurions pu nous renseigner. Je ne sais pas, moi. Par exemple, quand elle a commencé à grossir chaque jour, ça aurait dû nous mettre la puce à l'oreille. Ce gros ventre, ce n'était pas normal du tout. Tellement gros à la fin qu'on ne pouvait même plus monter sur ses genoux. Il n'y avait plus la place...

— Vous pleurez, cher Hannibal ?

– Mais non, j'ai les yeux qui coulent, simplement… Elle a toujours mangé d'un bon appétit, soit. Mais à ce moment-là, elle achetait souvent des glaces à la fraise lorsqu'on se promenait. J'ai pensé que c'était ça qui la faisait s'arrondir. Vous vous souvenez ? J'aboyais pour lui dire d'arrêter là ces sucreries, mais elle pensait que je lui réclamais de goûter à son cornet. Alors elle souriait et me disait : « Non, non, non, mon Hannibal, pas de sorbet pour toi. »

D'ailleurs, dans le parc, nous aurions dû nous douter
de quelque chose, lorsqu'elle s'installait toujours
sur le même banc, devant tous ces affreux enfants
qui nous jetaient du sable dans les yeux.

– Mon pauvre Hannibal, si on avait
su ce qui se tramait ! Notre vie
entièrement chamboulée. C'était
honteux d'abord… de nous prendre
notre petite chambre et de nous
reléguer dans la cuisine.

– Je ne vous suis pas tout à fait sur
ce point, mon cher ; moi j'aime bien
la cuisine : faire la sieste près
des fourneaux, humer les fumets
délicieux, profiter des petites choses
grillées que l'on peut grappiller
de-ci de-là…

— Oui, oui, vous êtes trop gourmand, mon cher…
Mais rappelez-vous… lorsqu'il a commencé
à repeindre la chambre en rose. Ridicule !
Et moi qui ne supporte pas les odeurs fortes…
La peinture sentait si mauvais, je passais
mes journées à éternuer.

— Et moi, cher Scipion, vous oubliez qu'elle
me donnait un mal de crâne atroce.

— On avait à peine le droit d'entrer dans la chambre. C'était devenu un sanctuaire. Et puis, le premier jour du printemps (je m'en souviens comme si c'était hier), ils ont apporté cette sorte de niche de luxe avec des dentelles. Vous vous rappelez ?

— Qu'est-ce que vous croyez… J'ai tout de suite imaginé qu'ils avaient acheté un nouveau chien d'un pedigree exceptionnel, un genre d'altesse canine, devant laquelle il nous faudrait faire des révérences et des génuflexions, vous pensez… avec mes rhumatismes. Je me demande encore comment nous avons pu être aussi naïfs…

Et pourtant : le pire était à venir, juste après leur départ précipité de la maison. Quand il est revenu tout seul, je me demandais s'ils s'étaient disputés ou quoi. Mais il avait l'air enchanté. Il a passé un nombre de coups de téléphone incalculable, en parlant très fort et surtout... il a oublié de nous donner à manger. C'était le pompon. Heureusement, mon cher Hannibal, vous vous êtes rappelé à lui, il a fini par comprendre que nous crevions de faim ! Pour se faire pardonner, il nous a servi une double ration, ce qui ne m'a pas du tout réussi, j'ai l'estomac si fragile. Quelle nuit !

– Moi, je n'ai rien mangé du tout,
je me faisais un sang d'encre pour elle.
Je me demandais où elle était passée,
si elle allait revenir… J'ai même décidé
de faire la grève de la faim. Mais lui
n'avait pas l'air de s'en apercevoir.
Enfin, au bout de quelques jours,
elle est revenue… mais pas toute seule.
Elle est revenue avec LA CHOSE.

Au début, je n'ai pas réussi à voir ce que c'était.
Ce qu'on en apercevait était rouge et mou…
on aurait dit du pâté. Parfois, ça sentait franchement
mauvais et souvent, ça criait : la nuit, le jour, à tout bout de champ,
un cauchemar !

– Ce n'est pas ce qui me dérangeait le plus. Ce que je n'ai
pas supporté, c'étaient les promenades… après. Lorsqu'il a fallu
sortir avec la CHOSE installée dans sa niche à roulettes.

– Vous avez raison : jamais elle n'aurait dû attacher nos laisses
au guidon ! Elle avait l'air de trouver ça très drôle : courir dans
le parc, en faisant tout un tas de mimiques à la CHOSE.
Moi je ne peux absolument pas courir comme ça, j'étais à deux
doigts de la crise cardiaque. Ce qu'il a fallu endurer tout de même !

– Oui, on en a bavé pendant des années… ça, on peut le dire.
(Silence) Mais ça va mieux maintenant, reconnaissez-le.

– Oui, mon cher Hannibal…
beaucoup, beaucoup mieux. »

# À RETROUVER DANS LA COLLECTION FLEX :

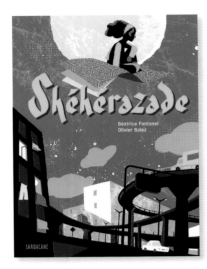

**Shéhérazade**
*Béatrice Fontanel - Olivier Balez*
ISBN : 978-2-84865-668-7

**Le Carnaval des dragons**
*Max Ducos*
ISBN : 978-2-84865-670-0

**Ce que lisent les animaux avant de dormir**
*Noé Carlain - Nicolas Duffaut*
ISBN : 978-2-84865-669-4

**Le Livre abominable**
*Noé Carlain - Ronan Badel*
ISBN : 978-2-84865-698-4

Collection dirigée par Emmanuelle Beulque

© 2011, Éditions Sarbacane, Paris.

**www.editions-sarbacane.com**
**facebook.com/fanpage.editions.sarbacane**

Dépôt légal : 1ᵉʳ semestre 2014.
ISBN : 978-2-84865-697-7

Imprimé à Singapour.